创新增长路径　共享发展成果

——在二十国集团领导人第十次峰会第一阶段会议上关于世界经济形势的发言

（2015年11月15日）

习　近　平

人　民　出　版　社

创新增长路径　共享发展成果

——在二十国集团领导人第十次峰会第一阶段会议上关于世界经济形势的发言

（2015年11月15日）

习　近　平

尊敬的埃尔多安总统，

各位同事：

很高兴在安塔利亚再次同大家见面。首先，我谨对埃尔多安总统和土方的热情周到接待，表示衷心的感谢。

土耳其是古代东西方文明交汇之地。今天

二十国集团领导人在这里齐聚一堂，共商世界经济发展合作大计，很有意义。二十国集团的任务是促进世界经济增长。当前形势下，亟需我们回答两个问题。一是“怎么看”，要精准把脉世界经济形势。二是“怎么办”，要为促进全球经济增长和就业开出良方。

一个基本判断是，国际金融危机深层次影响还在继续，世界经济仍然处在深度调整期。回顾上世纪几次大的全球性经济危机，各国应对手段的失误通常使经济难以复苏。这次国际金融危机发生以来，各国分别采取一些财政货币措施，一定程度上起到了稳定市场和扭转颓势的作用。现在看来，这次国际金融危机复杂程度远超以往，解决起来需要综合施策，绝非一日之功。这就是为什么国际金融危机发生已经7年，世界经济恢复仍然缓慢、增长仍然脆弱的原因。

中国古代先贤说：“善治病者，必医其受病

之处;善救弊者,必塞其起弊之原。”究其根本,世界经济发展到今天,上一轮科技和产业革命所提供的动能已经接近尾声,传统经济体制和发展模式的潜能趋于消退。同时,发展不平衡问题远未解决,现有经济治理机制和架构的缺陷逐渐显现。这些因素导致世界经济整体动力不足,有效需求不振。其表象是增长乏力、失业率上升、债务高企、贸易和投资低迷、实体经济失速、金融杠杆率居高不下、国际金融和大宗商品市场波动等一系列问题。这就像一个人生了病,看起来是感冒发烧,但根子在身体机理出了问题。

找准了病灶,就要对症下药。作为国际经济合作主要论坛,二十国集团要确定目标、指明方向、发挥领导力。我们既要治标以求眼下稳增长,又要治本以谋长远添动力;既要落实好以往成果,又要凝聚新的共识;既要采取国内措施、做好自己的事,又要精诚合作、共同应对挑战。为此,我愿提出以下建议。

第一,加强宏观经济政策沟通和协调,形成政策和行动合力。“孤举者难起,众行者易趋。”近年来世界经济增长的历程一再表明,在经济全球化时代,没有哪一个国家可以独善其身,协调合作是我们的必然选择。二十国集团成员块头大,占全球经济总量80%以上,对世界经济增长的责任也就更大,理应也能够有所作为。

我们应该根据各自国情采取必要的财政和货币政策,促进全球经济增长,维护国际市场稳定。主要发达经济体要努力巩固和扩大复苏势头。新兴市场国家和发展中国家则要努力克服下行风险和压力,保持和恢复增长。在这一过程中,各方应该特别注意加强彼此政策的沟通和协调,防止负面外溢效应。在世界经济中举足轻重的大国,则更需要在制定宏观经济政策时充分考虑对他国的影响,提高透明度。中国将继续作出自己的努力。

第二，推动改革创新，增强世界经济中长期增长潜力。世界经济长远发展的动力源自创新。总结历史经验，我们会发现，体制机制变革释放出的活力和创造力，科技进步造就的新产业和新产品，是历次重大危机后世界经济走出困境、实现复苏的根本。

无论是在国内同中国企业家交流，还是访问不同国家，我都有一个强烈感受，那就是新一轮科技和产业革命正在创造历史性机遇，催生互联网+、分享经济、3D 打印、智能制造等新理念、新业态，其中蕴含着巨大商机，正在创造巨大需求，用新技术改造传统产业的潜力也是巨大的。我们应该抓住机遇，把推动创新驱动和打造新增长源作为二十国集团新的合作重点，重视供给端和需求端协同发力，加快新旧增长动力转换，共同创造新的有效和可持续的全球需求，引领世界经济发展方向。

第三，构建开放型世界经济，激发国际贸易和投资活力。国际贸易增速连续3年低于世界经济增速，2014年全球外国直接投资下降8%。这值得我们高度关注。我们把世界经济比作人的肌体，那么贸易和投资就是血液。如果气滞血瘀，难畅其流，世界经济就无法健康发展。

因此，重振贸易和投资，让世界经济这两大引擎重新高速转动起来，是二十国集团工作的另一个重点。要反对保护主义，维护和加强多边贸易体制，为不同国家发展提供充足空间。我们应该确保区域自由贸易安排对多边贸易体制形成有益补充，而不是造成新的障碍或藩篱。我们应该推动世界贸易组织第十届部长级会议取得平衡、有意义、符合发展内涵的成果，早日实现发展回合目标。

第四，落实2030年可持续发展议程，为公平包容发展注入强劲动力。消除贫困和饥饿，实现公平、开放、全面、创新发展，不仅是共同的道义责任，而且能释放出不可估量的有效需求。今年9月，我同在座的许多同事一道在联合国发展峰会上核准了2030年可持续发展议程。二十国集团集中了当今世界大部分主要经济体，完全应该也有能力在落实方面先行一步，作出表率。

中国将致力于在未来5年使中国7000多万农村贫困人口全部脱贫，将设立“南南合作援助基金”，并将继续增加对最不发达国家投资，支持发展中国家落实2030年可持续发展议程。中国将把落实2030年可持续发展议程纳入“十三五”规划，我倡议二十国集团成员都制定落实这一议程的国别方案，汇总形成二十国集团整体行动计划，助推世界经济强劲、可持续、平衡增长。

各位同事！

近段时间，大家都很关心中国经济。这完

全可以理解，因为中国已经成为全球第二大经济体，同各国经济紧密相连。在这里，我想强调的是，中国有信心、有能力保持经济中高速增长，继续为各国发展创造机遇。中国在世界经济最困难的时刻，承担了拉动增长的重任。2009 年到 2011 年间，中国对世界经济增长的贡献率达到 50%以上。目前，中国经济增速虽有所放缓，对世界经济增长的贡献率仍在 30%以上，仍是世界经济重要动力源。

——我们的信心，来自于全面深化改革、建立开放型经济新体制的决心和行动。经过 30 多年快速发展，中国经济已经到了转方式、调结构的关键阶段。在全球经济疲弱的背景下，中国也难免受到影响。面对下行压力，我们可以出台大规模刺激措施，短期内完全能够实现更高速度的增长，我们有这个能力。之所以没有这样做，是因为高消耗、高投入的模式对中国而言难以持续，也会给世界经济带来风险。因此，我们强调坚持进行结构性改革，着力解决经济中的深层次和中长期问题，让中国经济走得更好更稳更远。转方式、调结构不会一帆风顺，不可能一蹴而就，必然会遇到困难和阻力，但中国推进结构性改革的决心是坚定的，扩大开放的方针是明确的，不会有丝毫动摇。

——我们的信心，来自于中国经济强劲内生动力和中国政府坚强有力的政策引导。今年前三季度，在中国经济发展中，消费对经济增长的贡献率近60%，服务业比重超过50%，高技术产业增速明显快于整体工业，新的增长动力正在加快形成。今年中国经济预计实现7%左右增长，其增量相当于一个中等国家全年的国内生产总值，比前几年两位数增长时还要多。我们已经出台"十三五"规划建议，致力于到2020年全面建成小康社会，国内生产总值和城乡居民人均收入比2010年翻一番。未来5年，中国将按照创新、协调、绿色、开放、共享的发展理念，着力实施创新驱动发展战略，增强经济发展新动力，坚持新型工业化、信息化、城镇化、农业现代化同步发展；加快制造大国向制造强国转变，推动移动互联网、云计算、大数据等技术创新和应用；坚持绿色低碳发展，改善环境质量，建设天蓝、地绿、水清的美丽中国；坚持深度融入全球经济，落实“一带一路”倡议，以服务业为重点放宽外资准入领域，探索推行准入前国民待遇加负面清单的外资管理模式，营造高标准国际营商环境，打造利益共同体；坚持全面保障和改善民生，构建公平公正、共建共享的包容性发展新机制，使发展成果更多更公平惠及全体人民。所有这些，将为中国经济增长提供强大动力，也为世界经济释放出巨大需求，成为新的增长源。

各位同事！

与其坐而论道，不如起而行之。让我们继续发扬同舟共济的伙伴精神，通过我们的行动，努力形成各国增长相互促进、相得益彰的合作共赢格局，开创世界经济更加美好的未来！

谢谢大家。

图书在版编目(CIP)数据

创新增长路径　共享发展成果:在二十国集团领导人第十次峰会第一阶段会议上关于世界经济形势的发言/习近平 著. —北京:人民出版社,2015.11
ISBN 978-7-01-015536-4

Ⅰ.①创…　Ⅱ.①习…　Ⅲ.①习近平-讲话-学习参考资料②世界经济形势-研究　Ⅳ.①D2-0 ②F113.4

中国版本图书馆 CIP 数据核字(2015)第 272296 号

(RMC-ZJDXI-029-20151115)

创新增长路径　共享发展成果

CHUANGXIN ZENGZHANG LUJING GONGXIANG FAZHAN CHENGGUO

——在二十国集团领导人第十次峰会第一阶段会议上关于世界经济形势的发言

(2015 年 11 月 15 日)

习　近　平

人民出版社 出版发行
(100706　北京市东城区隆福寺街 99 号)

北京新华印刷有限公司印刷　新华书店经销

2015 年 11 月第 1 版　2015 年 11 月北京第 1 次印刷
开本:880 毫米×1230 毫米 1/32　印张:0.5
字数:4 千字

ISBN 978-7-01-015536-4　定价:2.00 元

邮购地址 100706　北京市东城区隆福寺街 99 号
人民东方图书销售中心　电话 (010)65250042　65289539